UNE CERTAINE CHALEUR

CHALEUR

ET AUTRES NOUVELLES
À CRAYONS ROMPUS

PIERRE BORGHERO

Une certaine chaleur

Chaleur

Et autres nouvelles à crayons rompus

EDITIONS les 3 génies

Maquette : Marc Henninot

© 2011, Éditions Les 3 Génies.

Éditions Les 3 Génies
11, rue Chalgrin
75116 Paris

www.editionsles3genies.com
e-mail : les3genies@orange.fr

ISBN : 978-2-917-95204-7

Le bahut, le chahut
et le salut

JE SUIS LÀ, devant sa porte. J'hésite.
La sonnette, tel un œil malveillant,
me nargue. Je n'aurais pourtant
qu'un geste à faire pour l'écraser
et la faire résonner dans la maison
au silence hostile. Fuir serait si fa-
cile. Eh bien non, cette fois, je ne
fuirai pas...

J'appuie sur l'œil cyclopéen.
La sonnerie me paraît plutôt

joyeuse. J'en suis surpris. Qui va ouvrir ? Lui ? ...

... Il a changé. C'est un vieillard maintenant. Mais il me reconnaît instantanément. Aucune surprise dans son regard. Seule sa bouche s'anime pour prononcer une phrase étonnante :

— Cela fait trente ans que je vous attends.

— J'ai fait le tour du monde (ma réponse paraît surréaliste).

— Cela prend autant de temps ?...

— Parfois, oui...

Un léger sourire éclaire son visage. Aucune ironie dans son expression. Pas d'animosité, non plus.

Cette rencontre m'effraie pourtant.

— Entrez, finit-il par dire.

La maison est telle que je l'imaginais. Il me fait asseoir dans un fauteuil de son salon.

— Je viens pour…, commençai-je en hésitant.

— Je sais. Il s'agit de cet incident qui s'est produit il y a trente ans, au Lycée Stephen Pichon de Bizerte, à l'époque du protectorat français, lorsque nous étions tous en Tunisie. Ce qui s'est passé entre vous, moi, et vos trois camarades.

Je garde le silence.

— Vous préférez en parler. Ou voulez-vous que je le fasse ?

Je continue à me taire, mais j'incline la tête. Il comprend que j'opte pour la deuxième proposition. Il a toujours tout compris, à demi-mot.

— Les trois autres ne sont jamais venus. Je m'en doutais, d'ailleurs. Mais vous, je savais qu'un jour ou l'autre je vous verrais apparaître. J'ai appris que vous étiez parti pour des pays lointains et que vous voyagiez beaucoup.

Je pensais bien que cela prendrait du temps...

Il se lève et se dirige vers la fenêtre. Il regarde au-dehors.

— Je n'ai pas crié.

(J'ai parlé malgré moi)

— Si, vous avez crié, mais pas contre moi. C'était à l'intention de vos trois copains... J'ai vu votre visage tourné vers eux. Vous vouliez les faire taire.

— Vous avez vu cela !?

— Oui, et je suis sûr que vous avez porté cela toute votre vie. Cela pourrait paraître un acte anodin, un chahut de lycéen. Mais vous, vous l'avez pris très au sérieux. Vous auriez dû venir me voir plus tôt. Je savais que vous n'aviez pas hurlé avec les loups. Mais vous pensiez que j'en étais persuadé...

Bouleversé, je baisse la tête.

Il continue :

— Reprenons depuis le début, si vous voulez bien. Oui, j'étais un surveillant. Un pion, comme on dit. Très avancé en âge, déjà. Incapable de décrocher un diplôme pour un professorat quelconque. Et pour cause : je buvais. J'étais ce que l'on appelle un alcoolique, un poivrot, un ivrogne, un pochard. Enfin, le terme que l'on voudra. En tout cas, presque une ruine. Et puis je vous ai rencontrés, tous les quatre. Une grande amitié est née entre nous. Nous avons passé sur les longues plages tunisiennes des moments merveilleux. Mais cela ne m'empêchait pas de boire. Un jour où je surveillais votre classe, les trois autres ont décidé de faire un gros chahut. Ils se sont mis à crier mon nom, de plus en plus fort ; puis ils ont ajouté, comme un refrain cruel : « Il ne boit jamais d'eau, il ne boit jamais d'eau… » répété à l'infini. Ce que vous ignorez, c'est que je voyais le regard de vos camarades dirigé vers moi, alors que vous-même vous criiez vers eux. J'ai compris ainsi que vous essayiez de les arrêter. À cause du bruit, je n'entendais pas vos paroles. Ce fut la dernière chose que je vis — et dont je me souviens — avant de m'écrouler, secoué par une crise nerveuse qui me laissa quelque temps inconscient.

Il s'interrompt.

Je me tais toujours.

— Vous savez le reste. On me ramassa, on m'emmena. Je fis un séjour à l'hôpital. Les médecins s'occupèrent de ma crise nerveuse, puis ils essayèrent de me désintoxiquer. Ils réussirent ce tour de force après trois cures successives, les deux premières ayant chacune été suivies d'une rechute. La troisième tentative fut donc la bonne. J'étais guéri, libéré. Quel bonheur ! Je n'ai plus jamais bu une goutte d'alcool...

Le silence à nouveau sert d'intermède pour introduire une nouvelle période de son récit.

— Je quittai l'enseignement, sans qu'on me retienne vraiment. Une nouvelle vie pour moi commençait. Aussi paradoxal que cela paraisse, c'est à vos trois camarades, ces garnements, et à leur jeu cruel que je le dois. Je n'ai rien à leur pardonner. Je devrais simplement les remercier. Bien que leur trahison me fût amère. Ils m'ont sauvé de l'alcool, sans le vouloir et sans le savoir, et m'ont donné un avenir que je n'espérais plus.

Je lève des yeux interrogateurs mais il enchaîne :

— Enfin, tout cela est bien lointain aujourd'hui. Dans l'espace et dans le temps. Pour l'espace, nous ne sommes plus en Tunisie. Nous sommes en France. Quant au temps, il y a prescription maintenant... (Il avait prononcé cette dernière phrase sur le ton de la plaisanterie)

— Donc, reprit-il, après avoir quitté l'enseignement, j'ai opté pour un petit travail tout à fait banal et alimentaire. Et j'ai « commencé »... autre chose.

Il hésite. Me regarde. La lueur qui sourd au fond de ses yeux paraît lointaine, mais l'ensemble de son visage est empreint d'une profonde sérénité.

Et dans un élan chargé d'émotion, de chaleur et d'affection, il dit :

— Venez voir...

Sa voix est sourde.

Je me lève et le suis dans une autre pièce. L'endroit est plus grand et, curieusement, sans fenêtre.

L'interrupteur qu'il actionne déclenche l'allumage de plusieurs petits projecteurs assez puissants sans être toutefois aveuglants. J'enregistre tout cela machinalement avant de me rendre compte de ce qui se trouve contre les murs. Un nombre impressionnant de tableaux peints à l'huile, d'esquisses et d'aquarelles, semble attendre le visiteur.

— Voilà, dit-il enfin, je me suis mis à peindre et j'ai acquis une certaine notoriété. Vous pouvez faire le tour et regarder tous les tableaux, si vous voulez. Enfin, si cela vous intéresse…

— Oh oui, cela m'intéresse… et le mot est faible.

Je suis très ému. J'ai réussi à articuler ces quelques paroles.

Je m'arrête à mi-chemin, cette fois bouleversé.

— Mais il n'y a que…

— Oui, il n'y a que des lieux, des paysages de la Tunisie. J'ai peint d'autres sujets mais ils sont presque tous vendus. Le reste est dans une autre pièce. Les tableaux qui sont devant vous, je n'ai jamais voulu m'en défaire. Et vous savez pourquoi ?

— Non, dis-je, déconcerté par cette question.

— Je les ai légués au gouvernement tunisien afin qu'ils restent dans un musée qui sera prochainement créé à Bizerte. Tout est arrangé avec le ministère de la culture. Ils seront transportés bientôt. Vous arrivez à temps pour les voir.

Tout en l'écoutant, j'admire ses œuvres une à une, avec une grande émotion. Ce sont les lieux de mon enfance, de mon adolescence, de ma jeunesse. Mes yeux se mouillent…

Puis soudain un vertige me saisit.

Je veux partir mais il me ramène à la réalité :

— J'ai quelque chose pour vous. Je ne vous ai pas oublié…

Il s'approche d'une étagère fixée dans un coin et y prend un paquet. Je comprends d'après la forme de l'objet que c'est un tableau enveloppé dans du papier d'emballage.

— Tenez. Acceptez ce modeste cadeau. Vous l'ouvrirez chez vous, je préfère…

Sur le pas de la porte, il me dit, alors que je le quitte :

— Je pense que je vais retourner en Tunisie, et finir mes jours à Bizerte. Enfin, qui sait ? Peut-être viendrez-vous aussi ?

Je balbutie :

— Peut-être…

Et je m'enfuis presque. C'est au coin de la rue que je me rends compte que je ne l'ai pas remercié. Mais je pense aussitôt que mon silence ému a été assez éloquent et a exprimé le témoignage de ma reconnaissance.

Une fois rentré chez moi, je déballe le paquet. C'est effectivement un tableau. Je l'installe sur un fauteuil du salon, m'assieds en face de lui, près d'un lampadaire allumé. La toile représente l'entrée de notre lycée de Bizerte, devant laquelle semblent attendre mes trois camarades et moi-même.

Alors, bien qu'aucun humain ne me voie, j'éteins le lampadaire qui se trouve à côté de moi, et je reste dans l'obscurité, pour cacher mon émotion.

L'école

Anna avait quitté le village pendant l'année 1991. Elle y revenait aujourd'hui : on était en 2002. Elle remarqua que c'étaient deux années palindromes et calcula la durée de son absence : onze ans, autre chiffre palindrome. Elle se dit enfin que son prénom en était aussi : en effet, Anna se lit toujours Anna, dans les deux sens. Ses réflexions sur cette suite de coïncidences furent interrompues par un fracas de tôles secouées. Le vieil autobus déglingué venait de stopper au cœur de ce village qui était la destination d'Anna. Celle-ci s'extirpa de ce moyen de locomotion d'un autre âge et se retrouva dans la Grand'Rue. Elle ajusta son sac à son épaule et se dirigea vers l'école de son enfance. C'est un article de journal qui l'avait ramenée dans son village natal. Il y était question de la démolition de plusieurs écoles désaffectées de la région et, en particulier, de celle qu'avait fréquentée Anna quarante ans auparavant. Il s'agissait pour les communes de récupérer les terrains. Le saccage était prévu pour le lendemain. Anna avait voulu revoir les lieux une dernière fois. Avant la mise à mort du bâtiment. Le grand portail n'était pas fermé ; cela n'avait plus beaucoup d'importance maintenant. Elle retrouva sans difficulté la salle de classe qui avait été la sienne en dernier, et la place qu'elle y occupait. Les bancs étaient encore là ; ils seraient sans doute enlevés avant l'opération, ou démolis avec les murs et le toit. Curieusement, il n'y avait pas beaucoup de poussière. Sans souci pour sa jupe, elle s'assit un instant devant le pupitre. Anna s'aperçut alors que les souvenirs qui affluaient en elle, à ce moment-là, avaient quelque chose d'irréel comme s'ils ne lui appartenaient plus.

Après une nuit passée à l'auberge du village, Anna arriva sur les lieux en même temps que les ouvriers chargés de la démolition de l'école. Elle assista aux premiers effondrements des murs et du toit. Elle se souvint qu'elle avait vu, dans son enfance, la chute d'un arbre qu'un bûcheron abattait.

La petite fille qu'elle était alors avait eu l'impression de voir tomber un humain. Anna voulait maintenant repartir, quitter ce lieu où ses souvenirs étaient à ce point maltraités. Mais avant de fuir, elle s'approcha d'un ouvrier et lui demanda si elle pouvait avoir une pierre du bâtiment qu'elle garderait comme une relique. L'homme acquiesça et se mit en quête de l'objet demandé. Finalement, il apporta à Anna un morceau d'ardoise provenant du toit. Mais au moment de remettre à la femme, la pièce bien essuyée qui brillait sous les rayons du soleil matinal, l'ouvrier se ravisa et retourna dans les décombres. Peu après, il revenait avec un grand sac en matière plastique apparemment très solide.

— Attention, c'est assez lourd, dit-il à la femme en lui donnant le paquet. Mais je crois que c'est

mieux pour vous… Vous regarde-
rez plus tard. Partez maintenant, le
chantier devient dangereux.

— Merci beaucoup, balbutia
Anna.

— Et surtout, reprit l'ouvrier, ne
m'en veuillez pas pour le travail que
je fais. Ce n'est pas moi qui décide.
J'exécute les ordres…

— Je sais, je sais. Au revoir,
Monsieur.

Elle quitta ces lieux où disparais-
saient, dans le fracas et la poussière,
des vestiges précieux de son enfance.

Quand elle fut hors de portée des
regards, elle ouvrit le sac. Celui-ci
contenait la cloche de son école…

La robe oubliée

J'AVAIS loué une petite maison proche de la ville de T., en Moselle. Ayant pris possession des lieux, je fis le « tour du propriétaire », si je puis dire, puisque je n'étais que locataire. Je prenais des mesures pour placer mes futurs meubles, en vue d'une disposition que j'imaginais la plus pratique possible. J'étais dans mes calculs lorsque j'avisai une porte tapissée qui tranchait sur le papier peint d'une des chambres. Je l'ouvris facilement. Cela ressemblait à un petit placard très étroit. Suspendue à l'intérieur du réduit, une robe qui avait été blanche semblait attendre, de tous ses plis jaunis, qu'on vienne la décrocher.

Intrigué par ma découverte, je téléphonai à l'agence de location auprès de laquelle j'avais obtenu le logement. On fit des difficultés pour me donner le nom du précédent locataire, mais comme j'insistais en arguant de mon intention de rendre l'objet à son propriétaire, je finis par obtenir les renseignements souhaités. Il s'agissait d'une vieille dame dont le récent décès avait provoqué la vacance de la maison que j'allais occuper dorénavant. L'annuaire téléphonique fit le reste. La disparue avait de la famille dans la ville de T. Rendez-vous fut pris et je me présentai au domicile des parents de la défunte.

Il y avait là, qui m'attendait avec impatience, la fille de la vieille dame. Je remis le paquet qui contenait la robe et j'allais me retirer quand apparut soudain, dans l'encadrement de la porte, une adolescente. Lorsqu'elle s'avança dans la lumière de la pièce, je m'aperçus qu'elle était très belle. Elle marmonna un « bonjour » maussade.

— Monsieur nous rapporte une robe de ta grand-mère que nous avions oubliée, lors de l'enlèvement de ses affaires. C'est une très ancienne robe.

La jeune fille s'approcha de la table basse sur laquelle reposait la relique en tissu, avec une étrange et discrète lueur dans les yeux, faite d'une espèce de bonheur mystérieux.

— Est-ce que je peux la prendre ? demanda-t-elle timidement.

— Bien sûr, Valentine, la rassura sa mère.

Valentine éleva la robe jusqu'à ses épaules et la laissa pendre devant elle :

— Nous avions à peu près la même taille, grand-mère et moi. Maman, tu voudrais bien que je la mette pour le bal, samedi soir.

Surprise, la mère répondit avec affection :

— Naturellement, mais elle est très vieille et cela se voit, tu sais...

— Justement. C'est une façon de renouer avec le passé des autres. De ceux que l'on a aimés et qui ne sont plus là.

Les yeux de Valentine brillaient d'émotion pendant qu'elle prononçait cette dernière phrase. Puis, rougissant de son audace, elle me demanda soudain :

— Je suis invitée samedi soir à une grande fête. La plupart de mes copines viennent avec leur père pour ouvrir le bal : c'est la première danse de la soirée, vous savez. Je n'ai pas de père. Voulez-vous m'accompagner ? Mais je vous préviens, je mettrai cette robe...

— Oh ! Valentine. Comment peux-tu importuner ainsi Monsieur ? Quelle impudence !...

L'intervention de cette mère, à la fois inquiète et outrée, me donna l'occasion de me remettre de l'émotion qu'avait provoquée chez moi la proposition de la jeune fille.

— Si votre maman est d'accord, je veux bien vous accompagner à ce bal.

— Oh ! merci Monsieur, sanglota presque Valentine. (La joie la faisait trembler.)

Je reçus en prime deux brusques baisers sur les deux joues. Ensuite, rendez-vous fut pris pour le samedi suivant...

Et voilà comment je me suis retrouvé, moi, un homme d'âge mûr,
dans un bal, en train de danser avec
une très jeune fille, habillée d'une
très vieille robe.

L'errante

J'ALLAIS souvent à la brasserie « La Belle Époque », à Metz, pour y boire un café et rêver un moment. J'avais remarqué, à plusieurs reprises, une femme, plus âgée que moi, toujours seule elle aussi, et invariablement assise à la même place. J'avais déjà vu cette femme en Tunisie, à Tunis, lorsque j'étais enfant. Je savais qui elle était, mais je n'osais me manifester. Un jour, pourtant, je m'approchai d'elle.

Elle leva les yeux vers moi, hostile, prête à m'éconduire. Je regrettais déjà mon audace mais je ne pouvais plus reculer. Je lui dis mon nom. Elle sembla ne pas se souvenir. Je lui parlai de ma mère. Son visage s'anima légèrement, mais ne s'éclaira pas.

— Oui, je me souviens maintenant. Il y a bien longtemps de cela. Vous étiez un enfant aux yeux rêveurs. Comme beaucoup d'enfants, d'ailleurs. Vous deviez avoir une dizaine d'années, à l'époque...

Je n'avais jamais entendu sa voix qui était un peu rauque mais empreinte malgré tout d'une certaine douceur un peu lointaine. Comme si cette douceur reparaissait à l'occasion de notre rencontre, après avoir été enfouie pendant de longues décennies sous d'autres sentiments plus amers.

La femme se ressaisit pourtant et ajouta d'une voix plus dure, plus abrupte :

— Alors vous savez.

Comme je ne répondais pas, elle insista :

— Vous savez qui je suis. Alors vous savez aussi ce que j'ai fait...

Je balbutiai :

— Je peux vous laisser, m'en aller... Si je vous importune.

— Pas du tout.

Puis d'une voix presque méprisante, en relevant la tête d'un air hautain :

— Vous êtes venu pour en savoir plus, je suppose.

Je fis un geste de la main comme pour balayer quelque chose :

— Je vais m'en aller...

Je m'apprêtai à me retourner pour m'éloigner, lorsqu'elle m'arrêta d'une voix redevenue plus douce :

— Non, restez. Pardonnez-moi. Je me suis trop endurcie. Asseyez-vous.

Je m'exécutai tout en essayant de me justifier :

— Ce n'est pas ce que vous pensez. Je ne voulais pas être indiscret. Je...

— Je sais. Je vous avais remarqué à votre table habituelle, là-bas, près de la fenêtre. Or, vous avez apparemment hésité longtemps avant de m'aborder.

— Oui, en effet.

— Vous savez quoi exactement ?

— Ce n'est pas pour cela que je suis venu. Enfin, pas entièrement.

Elle garda le silence, pencha la tête avec l'air de dire : « Enfin, il va parler. »

— Je ne sais comment vous dire. Je n'ai pas assisté au drame. Mais les grandes personnes, mes parents,

en parlaient devant moi, en m'igno-
rant. J'ai imaginé la scène et elle m'a
fasciné. Vous, surtout, vous m'avez
fasciné.

— Comment ? (Elle avait haussé
le ton) J'ai tué mon mari et je vous
ai fasciné.

— Oui.

Le mot se détacha, tout seul, tout
sec.

La femme sembla complètement
décontenancée, désemparée. J'eus
même l'impression qu'elle allait
pleurer. Elle se ressaisit :

— Attendez. Il faut que je
vous remette tout cela en mémoire. Excusez-moi pour la crudité
de mon langage : j'ai abattu mon
mari en pleine rue, à Tunis. J'ai déchargé sur lui tout mon pistolet. Et
tout cela, parce qu'il voulait me
quitter pour partir avec une autre
femme. Vous voyez, il n'y a même

aucune noblesse, aucune élégance, dans mon geste. Alors qu'est-ce qui pouvait bien vous fasciner là-dedans ?!

Elle s'interrompit un court instant et ajouta, apparemment très troublée, d'une voix plus basse :

— Fasciner, comme vous dites...

— Il n'y avait rien de malsain dans mon intérêt pour vous...

Pris d'un doute, elle m'interrompit :

— Mais aujourd'hui, est-ce que je vous fascine encore ?...

— D'une certaine façon, oui...

Elle secoua la tête en regardant de côté, d'un air à la fois abattu et stupéfait, tout en marmonnant :

— Non, mais ce n'est pas possible...

Je repris :

— Il faut comprendre. Me comprendre. J'étais un enfant. Et cette...

affaire... était l'affaire des grands. Des grandes personnes. Elle m'était étrangère. C'était la vie. La vie qui m'attendait. La vie des adultes. Confusément, je me doutais bien de ce qu'était l'amour entre deux êtres. Mais le reste : les ruptures, les drames passionnels. Tout cela m'échappait. Il y avait déjà le divorce de mes parents qui battait son plein. Et puis il y a eu « vous ». Votre geste. C'était autre chose encore. Je vous ai imaginée — et cette image est toujours restée en moi — sur un trottoir de Tunis, très droite, le bras tendu, un revolver dans votre main. Vous tirez et l'homme de votre vie s'écroule. J'ai compris plus tard que mon esprit romanesque était précoce, lorsque j'ai lu des romans dans lesquels étaient décrits ces drames passionnels. Malgré l'horreur de votre geste, vous m'apparaissiez — et c'était plus fort que moi — comme une héroïne, ou tout au moins un personnage de roman. Un personnage de la vie que je ne connaissais pas encore... Mais ce mot — « passionnel » — a déjà un reflet tellement mystérieux, un peu sulfureux ; il cache ce mélange subtil et terrible, surprenant aussi, d'amour et de haine. Comment un enfant ne serait pas...

Elle m'interrompit brutalement :

— Non, non ! Il ne faut pas. Je ne veux pas que vous pensiez cela, que vous me voyiez comme cela, avec ces yeux-là. Vos yeux, votre regard ! Ne comprenez-vous pas que c'est terrible pour moi. Laissez-moi avec ma sordide histoire. Et puis, ce que vous ne ressentez pas, c'est qu'en tuant mon mari, je me suis tuée aussi, d'une certaine manière. C'est pour cela que j'ai déchargé toute mon arme sur lui. Je tirais sur lui, sur moi, sur elle — l'autre femme — peut-être sur l'humanité entière. Ce que vous ne savez pas non plus, c'est que, quand il a reçu les premières balles, il a tourné son regard vers moi. Oh ! ce fut terrible. Il n'y avait aucune surprise dans ses yeux, aucun reproche ; je crois même qu'il y avait de la compassion, peut-être même plus, peut-être de... non, c'est fou de dire cela...

Elle s'arrêta. Nous gardâmes le silence un moment. Je ne voulais pas parler. Je désirais la laisser continuer. C'est tout juste si j'osais respirer... Quand elle reprit la parole, je compris qu'elle voulait en terminer :

— J'ai assumé. J'ai bénéficié de l'indulgence des jurés. C'est souvent le cas pour ce genre d'affaire.

J'ai fait un peu de prison. Mais ma véritable prison a commencé lorsque j'ai été libérée. Je suis prisonnière encore aujourd'hui de ce que j'ai fait. J'erre de ville en ville, exerçant n'importe quel travail, puis un autre, ne me fixant sur rien, ne m'arrêtant nulle part. Ici, à Metz, je suis restée un peu plus longtemps. Mais je vais repartir un de ces jours. Je le sais. Je le sens. Et puis, je regrette d'avoir tué mon mari. Peut-être me serait-il revenu un jour ? Ce que j'ai fait est irrémédiable. Je ne peux rien y changer. Ma punition est quotidienne. Mais rassurez-vous, vous n'avez pas rouvert inutilement cette plaie. Ce soir, je repasserai dans ma mémoire les meilleurs souvenirs, les plus beaux moments passés avec lui, avec cet homme, au début, avant que je ne le détruise.

Je me taisais toujours, bouleversé.

— Maintenant, nous allons nous séparer. Je ne vous en veux pas. Mais vous comprendrez que je ne tiens pas à vous revoir. J'espère que vous ne m'en tiendrez pas rigueur. (Je secouai négativement la tête) En revanche, je vous demande de ne plus me voir sous ce jour. Condamnez-moi plutôt en vous-même, je préfère. Je ne mérite pas tout ce que vous m'avez dit. Je ne suis pas cela. Et encore moins une héroïne. Même pas un personnage de roman. Oubliez-moi, si cela vous est possible. Promettez-moi au moins de me voir autrement.

Ces derniers mots avaient été prononcés d'une voix intense :

— Je vous promets, ai-je balbutié.

La femme se leva, prit son sac, et, avant de me quitter, posa la paume de sa main sur mon front. Un geste affectueux, un adieu, un contact peut-être avec le passé ? Peut-être aussi, oserais-je le dire, une sorte de bénédiction...

Par la vitre, je la vis s'éloigner rapidement, sous une pluie qui commençait à tomber, comme pour effacer cette silhouette douloureuse qui allait porter ailleurs son deuil, son chagrin, son remords, ses regrets.

Je ne l'ai jamais revue. Elle n'est jamais revenue à « La Belle Époque ». Par la suite, j'ai cessé également de fréquenter cette brasserie.

Récemment, bien des années après cette rencontre, le courage m'étant revenu, j'ai désiré revoir « La Belle Époque » et m'y arrêter un instant, pour y faire une sorte d'escale et de pèlerinage aux souvenirs. Mais à la place du café, je trouvai un magasin de vêtements modernes.

Je quittai précipitamment les lieux, et empruntai la rue par laquelle avait disparu l'errante, quelques années auparavant. Mais aucune pluie ne tombait sur moi, ce jour-là, pour estomper ma fuite.

Dernier hommage

(À « P'tit Sou »)

ON ENTERRAIT un clochard. Il y a bien d'autres appellations, plus actuelles, pour désigner ces indigents : S.D.F., marginal, exclus, etc. Mais le mot « clochard » possède encore un reflet de romantisme. Bref, on enterrait un pauvre homme. Il avait un nom, bien sûr. Pourtant les gens le surnommaient Johnny. À moins que ce ne fût Billy ou Tommy. Je ne sais plus exactement… Enfin, c'était un prénom américain ! Moi, je l'appelais « P'tit Sou », car il interpellait invariablement les passants de la façon suivante : « T'as pas un p'tit sou ? »

Il ne s'insurgeait jamais si quelqu'un refusait de lui donner une pièce, et il ne réclamait pas non plus quand l'obole lui paraissait insuffisante, sauf peut-être lorsqu'il voulait emprunter le bus qui desservait notre vallée. Autrement, il utilisait l'argent pour prendre un gobelet rempli de café à un distributeur automatique d'un lieu public. Parfois, il achetait dans quelque pâtisserie un croissant qu'il dégustait sur le trottoir. Tout le monde le connaissait et le servait volontiers. Il lui arrivait, assez souvent aussi, quand la somme était suffisante, de faire l'acquisition d'un paquet de cigarettes dont il allumait tout de suite une unité devant le généreux donateur, si ce dernier se trouvait encore là. Mais il n'entrait jamais dans un bistrot et ne buvait pas d'alcool. C'était — paraît-il — un traumatisé de guerre. « P'tit Sou » était très doux et ne devenait violent qu'avec ses habits — sa veste ou son manteau — qu'il jetait quelquefois par terre avec force. C'est alors qu'il criait de tous côtés des ordres imaginaires. Voilà qui était l'homme qu'on enterrait ce jour-là.

Il y avait peu de monde dans l'église et le prêtre allait commencer son homélie, lorsque le chien apparut. L'animal entra par la porte laissée ouverte à cause de la chaleur de l'été. Ce fut le bruit de ses pattes qui nous alertèrent : un son régulier accentué par le grattement des griffes sur le dallage. Nous nous retournâmes vers cet arrivant inattendu. Quelqu'un s'apprêta à intervenir mais le prêtre le retint en disant doucement : « Laissez-le ». Le chien longea l'allée centrale, sans s'occuper des assistants, et se dirigea vers le modeste cercueil de « P'tit Sou », devant lequel il s'arrêta. Il nous fut donné alors de voir un spectacle étrange. Le chien inclina plusieurs fois la tête comme s'il hésitait, puis il appuya son museau sur le bois du cercueil. La bête semblait accomplir une sorte de mission. Elle se retourna et de la même façon qu'elle était arrivée, elle longea en sens inverse la grande allée de l'église, avec le même bruit caractéristique de ses pattes que l'on entendait fort bien dans le silence de l'édifice sacré, d'autant plus qu'aucun d'entre nous ne bougeait.

Le chien ressortit ; le prêtre reprit sa messe. Mais tout paraissait différent après cette étrange visite. Je décidai de ne pas attendre la fin de l'office. Je sortis presque tout de suite après le départ de l'animal. Je jetai un coup d'œil sur le parvis, scrutai les rues avoisinantes : le canidé n'était pas là. Je me mis à parcourir le quartier, puis les autres parties de notre petite ville. Je ne trouvai pas le chien. Je cherchai les jours suivants. Sans succès. Et je ne l'ai jamais revu…

Certains jours, lorsque j'entends sonner les cloches de l'église, je pense à ce chien bien mystérieux, et je me dis aussi que « P'tit Sou » ne demandera plus jamais un p'tit sou.

Histoire de Moktar

Après une imperceptible hésitation, elle fit entrer le visiteur dans le salon. Elle remarqua qu'il boitait assez fortement en s'appuyant sur une canne.

— Vous êtes Moktar, dit-elle enfin.

— Oui, et vous êtes Madame Valloy-Beaulieu.

— Appelez-moi Marie... Vu les circonstances... Asseyez-vous.

Elle indiqua un fauteuil.

L'homme dit, regardant autour de lui :

— L'écrivain n'est pas encore arrivé ?

(Elle remarqua le léger accent).

— Il a téléphoné. Il préfère nous laisser seuls. Il pense que nous avons des choses à nous dire et qu'il serait de trop.

— Je lui dois beaucoup. C'est grâce à lui que je suis ici, devant vous.

— Je sais. Il m'a tout raconté, mais je souhaiterais vous entendre, vous.

Moktar commença son étrange récit :

— Je suis votre frère et je ne suis pas né en Tunisie. Vos parents — enfin, nos parents — effectuaient un voyage dans ce pays et, encore bébé, j'étais avec eux. Vous, un peu plus âgée, vous étiez restée en France, chez vos grands-parents.

C'était au temps du protectorat français ; une nuit, sur une route déserte, dans la région de Bizerte, près d'un lieu appelé Sidi-Ahmed, nous eûmes un accident de voiture. Le véhicule se retourna et prit feu. Le temps que les secours arrivent, tout a brûlé, sauf moi : un arabe tunisien — je sus plus tard qu'il se nommait Slimane — réussit à me tirer du brasier, sans pouvoir rien faire pour les deux autres victimes. Mon sauveteur eut alors une étrange réaction : me gardant dans ses bras, il s'enfuit sans attendre les premiers arrivants. Il semble qu'il n'y eût aucun témoin de cet enlèvement. Je pense aujourd'hui que Slimane était ce que l'on appelle un homme en mal d'enfant. On a retrouvé deux corps carbonisés assez grands pour être des adultes, mais on a jugé, je suppose, que d'un bébé il ne restait rien. Les autorités ont donc déclaré que tous les occupants de la voiture étaient décédés. Évidemment, je ne me souviens de rien, mais j'ai pu tout reconstituer. J'ai gardé de l'accident cette jambe raide.

Moktar mit une main sur son genou gauche. Marie Beaulieu, sans vouloir trop le montrer, était suspendue à ses lèvres.

Le narrateur reprit son récit :

— Slimane m'a élevé et je l'ai toujours considéré comme mon père. Il habitait le « bled », selon l'expression habituelle, dans un ensemble de modestes maisons, éloigné de tout centre. A cette époque, les enfants nés dans ces conditions étaient souvent déclarés tardivement avec des dates approximatives. Je suis moi-même enregistré comme étant né « vers » 1935. Ce qui fait que tout est passé inaperçu...

Comme la voix de l'homme fléchissait, son interlocutrice en profita pour préciser :

— Nous trouverons la date exacte ici, à Nancy. Mais continuez...

— Mon père — enfin Slimane — est mort il y a trois ans. Il avait 94 ans. Je suis âgé aujourd'hui de 73 ans (à quelques mois près, par conséquent). J'ai donc vécu toute ma vie avec lui et je ne voulais pas le trahir. Mais j'ai su il y a une vingtaine d'années la vérité sur mon histoire. J'avais déjà fait à son insu des recherches, mais je me suis senti seulement le droit de vraiment savoir qu'après sa mort. Et me voilà...

Un silence s'installa, empreint d'émotion.

Comme la femme se taisait, Moktar enchaîna :

— Rassurez-vous, je vais maintenant vous expliquer comment j'ai

appris tout cela. Une de nos voi-
sines, Nouma, fut gravement ma-
lade, mais, étant au courant, désira,
avant de mourir, tout me raconter.
Cette amie me fit promettre de ne
rien dire à Slimane ; j'ai tenu cette
promesse jusqu'au bout. Une nuit,
elle vit arriver celui qui devint mon
père avec un bébé blessé dans les
bras. L'homme seul qu'il était eut
besoin d'elle pour le soigner et se
sentit ainsi obligé de lui avouer, en
échange de son silence, où il avait
trouvé l'enfant. C'est-à-dire moi.
Je tenais, très serré dans mon petit
poing, un morceau de papier que je
devais probablement triturer pendant le voyage en voiture. Slimane
n'y prêta pas attention mais Nouma
garda la relique. Elle me la remit.
J'avais, au cours des années, appris
à lire et à écrire le français auprès
d'un professeur qui me donnait, de

temps en temps, des cours gratuits comme il le faisait pour beaucoup d'autres. Je me rendais régulièrement à Bizerte, en charrette. Je dois beaucoup à cet homme. Donc après la mort des deux êtres qui m'étaient si proches, je parachevais mes recherches. Je dois vous préciser que je n'ai ni épouse, ni descendance. Au consulat de France, étonné par mon histoire, un jeune homme s'occupa de moi. Le papier de Nouma était un fragment d'une page de revue, apparemment régionaliste et dont quelques phrases laissaient supposer qu'il s'agissait de la Lorraine. Le reste, vous le connaissez : j'ai réussi à entrer en contact avec l'écrivain régionaliste, José Bernard qui, après bien des recherches, vous a retrouvée et nous a servi d'intermédiaire. Vous avez bien voulu — ce dont je vous remercie — vous prêter au test de l'ADN qui corrobore cette situation. Mais je comprendrais très bien qu'après une histoire pareille et toutes ces années passées, vous ne vouliez pas donner une suite à notre rencontre d'aujourd'hui. Je m'en irais donc immédiatement. J'ai surtout voulu vous voir au moins une fois, puisque vous êtes ma sœur...

Marie Beaulieu se leva et dit, avec un imperceptible sourire :

— Venez, Éric Beaulieu, alias Moktar, je vais vous montrer votre chambre. Elle vous attend depuis longtemps...

Monsieur !

Le visage du vieux est hiératique. Celui du jeune, à peine plus animé. Il semble que les deux hommes soient père et fils. Le train roule à travers la campagne mosellane. Nous ne sommes pas loin de Thionville. Cela fait un moment que je les observe discrètement : je suis assis en face d'eux. Soudain, je perçois au fond des yeux de l'homme plus âgé — après qu'il ait regardé le paysage par la fenêtre — une lueur presque imperceptible de joie ; peut-être de bonheur. Je n'ose engager la conversation. D'autant plus que les deux hommes se parlent très peu, à voix basse, et, d'après les quelques sons qui me parviennent, ils s'expriment dans une langue étrangère complètement inconnue de moi. Le langage semble par moment guttural, d'autres fois grasseyant et doux.

Soudain, le jeune homme me demande dans un français hésitant :

— Excusez-moi, mais le prochain arrêt, c'est bien Thionville ?...

— Oui, répondis-je.

— J'y habite mais je n'ai pas encore l'habitude... je veux dire d'arriver par le train.

Comme je ne renchéris pas tout de suite, il ajoute un peu précipitamment, craignant peut-être que j'éprouve à son égard une certaine méfiance :

— Je reviens de mon pays où j'ai été chercher mon père (d'un mouvement de tête sur le côté il indique l'homme assis près de lui). J'ai eu beaucoup de mal à le prendre avec moi. C'est très dur là-bas ! Mais enfin il est là. En France. Ici, je pense que je n'aurai pas d'ennuis pour le garder car j'ai trouvé un petit travail. C'est le seul survivant de notre famille. Il y a eu la guerre...

Lorsque nous arrivons à Thionville, le jeune homme éprouve quelques difficultés à faire descendre son père du train. Je suis derrière eux. Je m'avance et, regardant le vieil homme, je lui dis en prenant son bras libre :

— Attendez, Monsieur, je vais vous aider...

Il se fige un instant et descend quand même sur le quai de la gare.

Mais, une fois là, il éclate en un sanglot silencieux qui secoue doucement ses épaules. Je jette un coup d'œil à son fils en m'inquiétant :

— Je suis désolé… J'ai dit quelque chose qu'il ne fallait pas…?

— Non, rassurez-vous. Il est au contraire très touché : il comprend quelques mots de français et il n'a pas l'habitude qu'on l'appelle Monsieur…

Nous marchons un peu côte à côte. Le vieux se calme. Le train redémarre en direction du Luxembourg.

Alors, sous le regard médusé des voyageurs attardés, le vieil étranger s'incline, s'agenouille à même le quai en s'appuyant sur les paumes de ses mains, puis, d'un geste lent et solennel, il embrasse le sol.

Une certaine chaleur

UNE FEUILLE morte se posa sur l'épaule de l'enfant, comme si elle voulait, par compassion, le consoler de s'être égaré dans cette forêt froide et hostile. Le petit garçon, âgé de sept ans, se prénommait Martin. Son père chargeait sur une remorque des branchages destinés à la cheminée familiale lorsque, s'éloignant de lui un court instant pour suivre un bouvreuil qui voletait dans une allée prometteuse, l'enfant s'était perdu et, malgré les appels paternels, avait pris, sans le savoir, la direction opposée. Et maintenant, assis au pied d'un arbre et gagné par le froid, son attente devenait angoisse. Envahi par un engourdissement insidieux, le corps de Martin cédait peu à peu au sommeil. Soudain, un médecin, en blouse blanche, se dressa devant l'enfant et lui dit :

— Il ne faut surtout pas t'endormir, petit. Ce serait dangereux pour toi. Si tu te remets à marcher, tu vas t'éloigner davantage dans la forêt. Essaie donc plutôt de chanter. Comme cela, si on te cherche, on t'entendra...

Martin s'éveilla brusquement. Il n'y avait aucun médecin devant lui. Il détourna un peu son regard et découvrit simplement près de lui un arbre à l'écorce blanche, juste marquée de quelques légères taches noires, très haut, très droit, très mince. Il sembla au garçon que l'arbre blanc continuait à lui parler :

— Vas-y... Courage... Essaie de chanter...

Il essaya. Toutes les comptines qu'il connaissait y passèrent, envoyées à travers les branches par une petite voix chevrotante. Mais au bout d'un moment, tout cela l'impressionna. Il s'arrêta. Il tenta encore d'ânonner quelques récitations. Malheureusement il n'en savait pas beaucoup. « D'ailleurs, se dit-il, on n'entendra pas ma voix. » Cette pensée le découragea...

L'image de son chien l'attendant à la maison s'imposa à son esprit ; ce Benji qui lui donnait tant d'amour, des bons jeux joyeux, et surtout dans ce moment si difficile de sa petite vie, il songea à la merveilleuse chaleur du corps de son chien...

Le petit garçon perdu crut qu'il rêvait encore quand se dressa devant lui une silhouette casquée. Une voix jeune et forte, empreinte d'une grande émotion et d'une certaine fierté, cria :

— Je l'ai trouvé... je l'ai trouvé...

Puis, tout bas : « Merci, mon Dieu. »

Des bras vigoureux saisirent Martin. L'enfant égaré comprit qu'il était sauvé. Il se laissa aller contre une poitrine revêtue d'une veste épaisse et rude. Le petit garçon, malgré l'épaisseur du vêtement, sentit une étrange et bienfaisante chaleur l'envahir : la chaleur humaine.

Conviviales

L<small>A</small> <small>NUIT</small> envahissait la terre et
prenait possession des arbres.
Quelques maisons seulement, grâce
à la couleur claire de leurs façades,
semblaient échapper à la mainmise
de l'ombre. L'herbe des pelouses
achevait de mettre son vêtement de
nuit. Un peu à l'écart du village, un
groupe de quatre adolescents ten-
tait d'allumer un feu malgré l'hu-
midité descendante. Finalement,
comme un espoir naissant, une

petite flamme apparut et devint rapidement une flambée sous le souffle conjugué des garçons. C'était une victoire commune. Après cela, autour du feu, l'amitié coulait à flot. Des braises rougeoyantes où sifflait une sève fumeuse, les quatre jeunes gens tiraient des pommes de terre brûlantes et prometteuses, onctueuses et savoureuses. Puis ils s'arrêtaient ; alors c'était la paix : il ne se passait plus rien d'extérieur et pourtant c'était bien. Chacun suivait son rêve en un voyage immobile. Ils avaient tous oublié momentanément le monde et la vie qui les attendaient, là-bas, aux confins de l'ombre qui les environnait. Soudain, l'un d'entre eux sortit de sa poche un harmonica et se mit à jouer. L'instrument étirait longuement, très longuement, ses sentiments, ses soupirs ; puis

brusquement se tut. Un autre garçon prit derrière lui une guitare
pour assurer le relais. Les cordes
alors demandèrent à la nuit, avec
des notes alanguies, de ralentir la
fuite du temps...

Fugue en haute mer

Le petit voilier se dressait dans la lumière de la lune. Quelques douces vagues imprimaient à sa coque le balancement lascif de la mer. Ludovic, c'était sûr, allait voler ce bateau. Il pourrait le manœuvrer seul jusqu'au grand large. Après, ce serait le tour du monde… L'adolescent entra dans l'eau tiédie par cette nuit d'été, et s'avança jusqu'au ponton où le *Finalmente* se trouvait amarré. C'était folie, mais il avait déjà trop attendu. Passer à l'acte lui procurait un certain soulagement, toutefois teinté d'une délicieuse angoisse. Ludovic sentit sous ses pieds nus le bois si longtemps convoité. Le jeune garçon fit le tour de l'embarcation. Tout semblait en ordre. Il s'avança vers la poupe et se pencha pour saisir l'amarre. C'est à ce moment précis qu'une main s'abattit sur son épaule, tandis qu'une voix retentissait, perçant le silence de la nuit :

— Ah ! je te tiens, mon lascar.

La phrase était on ne peut plus conventionnelle. Elle impressionna néanmoins l'intrus qui, dans un premier temps, préféra se taire. Une torche électrique abîmait par sa lumière subite le rêve de l'enfant. L'homme qui intervenait ainsi était Monsieur Sküoch, le propriétaire du voilier. Le nouvel arrivant conduisit le garçon dans la petite cabine du navire. Une lampe à acétylène éclaira complètement la scène.

— Tu me croyais à mon hôtel, hein ? Mais tu voulais me voler quoi ? Il n'y a presque rien à bord, la nuit.

Ludovic se sentit devenir insolent :

— Je voulais prendre le *Finalmente* et partir...

— Partir où ? demanda le navigateur solitaire.

— Faire le tour du monde !

Le marin resta sérieux devant cet enfant qui le narguait. Il dit simplement, sobrement :

— Police. Prison...

Ludovic s'effondra sur une banquette de ce bois si longtemps désiré. Comme il avait baissé la tête, il ne vit pas le regard bienveillant de l'homme au bateau :

— Je te propose un marché. Demain matin, nous irons faire un tour en mer, jusqu'au large. Une grande virée. Tous les deux. En contrepartie, tu te rendras de toi-même au commissariat de police pour te constituer prisonnier... tu demanderas l'inspecteur Salcetti de ma part...

Les yeux du jeune fugueur s'allu-mèrent :

— Oh oui ! Ce qui se passera après m'est égal. Oh ! Ce serait bien, Monsieur.

Le lendemain, il faisait très beau. Le *Finalmente* longea la digue, dont le phare éteint se dessinait, très blanc, sur le ciel bleu. Et le petit navire cingla ensuite, de toute son étrave, vers l'horizon liquide. Ludovic, heureux, obéissait aux ordres de Monsieur Sküoch et s'en donnait à cœur joie à jouer des marins. Il était le matelot du plus grand et du plus beau des bâtiments maritimes. L'adolescent bénissait les embruns qui fouettaient son visage et le soleil qui cuisait ses épaules. Mais, surtout, ce qui lui procurait le plus de bonheur, c'était de sentir l'étrave du voilier fendre les eaux et glisser délicieusement vers l'inconnu.

Mais il fallut bientôt rentrer. Sur le ponton, au moment de se séparer, l'homme et l'enfant échangèrent un regard de connivence.

Au commissariat de police, l'inspecteur Salcetti, prévenu discrètement par Monsieur Sküoch, joua son rôle très sérieusement. Il fit à l'enfant fugueur un long discours sur le vol, sur l'importance de la propriété d'autrui. Puis se retenant de sourire, il laissa Ludovic une heure environ dans une cellule inoccupée. Enfin, le policier renvoya le jeune homme chez lui sans convoquer ses parents, et sans même les informer de ce qui s'était passé. Il fit promettre au garçon de ne plus recommencer et lui affirma que, lorsqu'il serait adulte, il pourrait aussi posséder un bateau.

Quand Ludovic se précipita vers le petit port, le *Finalmente* n'était plus là. Un pêcheur, qui reprisait quelques filets, lui confirma que Monsieur Sküoch était parti, au petit matin, pour rentrer chez lui. L'enfant longea le ponton jusqu'à son extrémité et, à nouveau seul avec la mer, il planta ses larmes dans le lointain.

La mer contre le mur

La mer n'avait pas de reflet, cette nuit-là. Tout le jour, mues par la tempête, les vagues avaient traversé la route et frappé, avec violence, le mur de la maison. L'enfant se terrait dans un coin de la petite chambre, près de son lit, et faisait rouler sur le sol un camion, modeste jouet en bois. La mère, assise sur le bord de sa couche, se leva soudain, hagarde, et, dans son délire, dit à l'enfant, d'une voix lointaine mais déterminée :

— Viens, nous allons mettre nos maillots de bain et nager loin, très loin... pour ne plus revenir.

L'enfant comprit. Il cria :

— Non !

Dans ce simple mot, il y avait un sanglot, un frémissement de terreur devant l'horreur du gouffre qui s'ouvrait devant lui.

L'enfant dit encore une fois, d'un ton suppliant, le corps tendu vers sa mère :

— Non...

La mère sembla revenir à la réalité, regarda autour d'elle et retomba, assise sur le bord de son lit :

— Pardon... mais ton père est parti... nous a quittés. Je suis seule... Je n'en peux plus... et on est méchant avec moi...

Puis, au bout d'un moment, elle ajouta :

— Couchons-nous maintenant, dormons, et ne pensons plus à rien... Demain...

L'enfant avait sauvé sa mère de la mort ; il s'était sauvé lui-même, aussi. Il ne leur restait plus, à l'un et à l'autre, qu'à subir la vie.

Poupette

JE SUIS revenu sur la plage qui fut autrefois mon royaume. Mon enfance court encore sur le sable de novembre. La mer vient à ma rencontre mais se retire aussitôt. Des algues persistantes, fleurs noires du passé, éclosent dans la vague mourante. Je ne partirai plus vers l'horizon marin ; il a cessé d'attirer l'adulte que je suis devenu. Au loin, dans les terres qui se taisent, la porte d'une maison déserte a scellé mes secrets d'enfant solitaire. J'avais une chienne que j'aimais. On me l'a enlevée et peut-être tuée. J'ignore quelle a été sa fin. Je voulais le savoir mais, avec l'érosion du temps, il n'y a plus ni acteur ni témoin de ce drame. Le mystère est amer et le doute a toujours habité mon chagrin. Absence et silence emplissent l'espace. Pas même un passant pour poser mon regard ; pas même un bateau, sur la grève ou le flot, pour ponctuer ma quête. Cette plage n'a pas de fin ; je n'irai pas plus loin. Je ferme les yeux et tourne lentement sur moi-même. Mes mains cherchent à caresser l'air salin. Alors, Poupette, la chienne de mon enfance, mon amie disparue dont la fin m'est inconnue, ma compagne fidèle, ma confidente revenue, saute autour de moi en une danse de joie.

Table des matières

Respect de l'environnement :
Impression sur papier 100 % recyclé et encre végétale.

EDITIONS *les* **3** *génies*

© 2011, ÉDITIONS LES 3 GÉNIES
11, rue Chalgrin, 75116 Paris
les3genies@orange.fr
www.editionsles3genies.com

Impression : SEPEC Imprimerie
ZAE des Bruyères
1 rue de Prony
01960 PERONNAS

Achevé d'imprimer en mai 2011
Dépôt légal : mai 2011
Imprimé en France